SURTOUT, N'OUVREZ PAS CE LIVRE !

TEXTE DE
MICHAELA MUNTEAN

ILLUSTRATIONS DE
PASCAL LEMAÎTRE

MILAN
jeunesse

ADAPTATION FRANÇAISE : DIDIER DEBORD

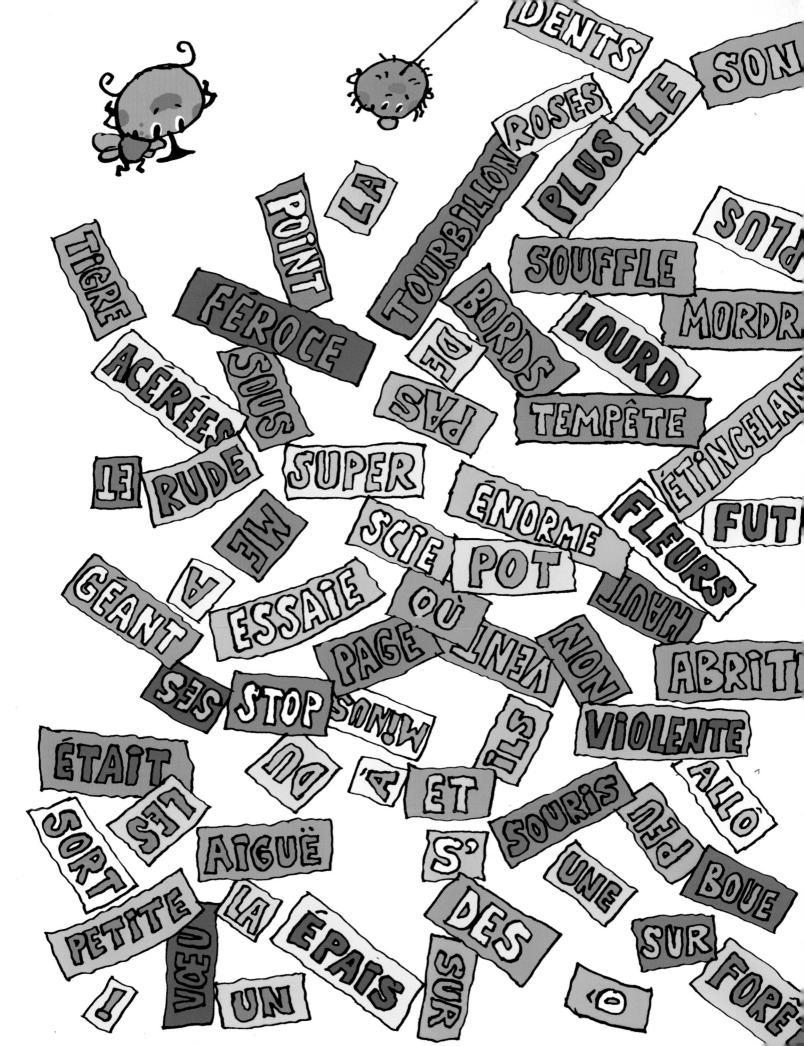

UNE VIOLENTE TEMPÊTE
LA PETITE SOURIS S'ABRITE
UN ÉNORME TIGRE FÉROCE
ET ÉTINCELANTES ET ESSAIE
TOURBILLON DU

... NOIR TRÈS SOMBRE

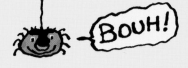

JE TE L'AVAIS
BIEN DIT.

VOILÀ CE QUI
ARRIVE
QUAND ON TOURNE
LES PAGES.

TU AS COMPRIS
MAINTENANT
QU'IL FAUT FAIRE
ATTENTION
AVEC LES
MOTS
!

CETTE FOIS, JE SUIS SÛR QUE TU NE POURRAS PAS TOURNER LA PAGE.
VROUM
VROUM
LX2

Il était une fois _____ qui était casse-

pieds de chez casse-pieds. _____ avait

des yeux horribles, de grandes oreilles et

une bouche pleine de dents. Et, aussi, un gros

nez. Je lui avais dit cent fois de FICHER LE CAMP,

mais _____ ne voulait pas partir.

Pour m'en débarrasser, j'ai téléphoné à la Société

d'Évacuation des Casse-Pieds.

« Allô, j'ai dit, je suis en page 29 d'un livre

qui n'est pas écrit et y' a un casse-pieds

de chez casse-pieds qui fait que me regarder.

Ça m'empêche de travailler et j'en ai assez.

Vous pourriez m'envoyer quelqu'un

pour me débarrasser de ——————— ? »

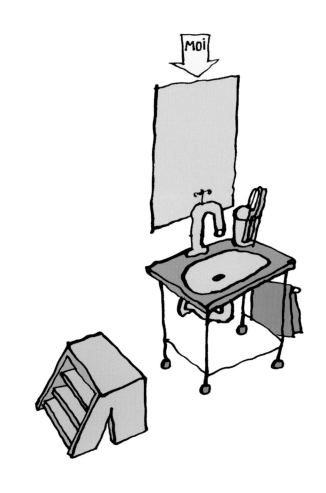

ET SI T'ALLAIS EMBÊTER QUELQU'UN D'AUTRE...

...OU REGARDER POUSSER TES ONGLES DE PIED ?

PAR ICI ONGLES de PIED

MAIS C'ÉTAIT AUSSI UNE HISTOIRE POUR S'ENDORMIR. EN TOUS CAS, MOI, JE SUIS FATIGUÉ.

ALLEZ, JE VAIS ME COUCHER.

CIAO
ET...

OH... HMMM... MERCI POUR TON AIDE. SANS **TOI**, JE N'AURAIS JAMAIS RÉUSSI À L'ÉCRIRE.

ALLEZ, VA